Il était une fois, en Ukraine, un garçon nommé Nicki
qui rêvait d'avoir de nouvelles moufles blanches comme la neige.

Baba, sa grand-mère, refusait de lui en donner, parce que, disait-elle : « Si tu en perds une dans la neige, tu ne pourras jamais la retrouver. »

Mais Nicki avait tellement envie de ces moufles blanches
que Baba accepta finalement de lui en tricoter.

Lorsqu'elle eut fini, elle dit : « Quand tu rentreras
à la maison, je m'occuperai d'abord de savoir si tu vas bien mais,
aussitôt après, je demanderai à voir tes moufles. »

Nicki partit jouer dehors. Il ne fallut pas longtemps pour qu'une de ses moufles tombe dans la neige.

Une taupe, sortant de sa galerie, découvrit la moufle et s'installa dedans. C'était confortable et chaud, juste à sa mesure. Elle décida d'y rester.

Un lièvre passait par là. En s'arrêtant un instant pour admirer son nouveau pelage d'hiver, il vit la moufle.
Il se glissa à l'intérieur, les pattes arrière en premier. La taupe n'imaginait pas que son abri fût pour deux mais, quand elle aperçut les puissantes pattes du lièvres, elle se fit toute petite dans son coin.

Alors un hérisson arriva, grinçant et soufflant. Il avait passé la journée à chercher quelque chose à manger sous les feuilles humides et glacées. Il avait besoin de se réchauffer et il pénétra dans la moufle sans hésiter.

La taupe et le lièvre furent bousculés et tassés mais ils n'étaient pas de taille à résister à une grosse boule bardée de piquants.

Le hérisson n'avait pas encore disparu dans la moufle qu'un grand hibou, attiré par toute cette agitation, se posa à proximité. Lorsqu'il s'introduisit, lui aussi, dans la moufle, la taupe, le lièvre et le hérisson grognèrent. Mais en remarquant les serres de l'oiseau de proie, ils le laissèrent s'installer.

Alors surgit de sous la neige un blaireau. Il vit la moufle et commença à y pénétrer. La taupe, le lièvre, le hérisson et le hibou n'étaient pas contents du tout. Il n'y avait vraiment plus de place ! Mais, à la vue des énormes griffes, ils ravalèrent leurs protestations.

Il se mit à neiger. Un nuage de vapeur se forma au-dessus de la moufle. Un renard le remarqua et l'envie lui prit de dormir dans l'abri douillet. Il risqua son museau à l'intérieur…

Quand la taupe, le lièvre, le hérisson, le hibou et le blaireau virent la gueule aux dents pointues, ils se serrèrent plus encore pour faire une place au renard.

Un ours brun survint. Il se sentait bien seul dans la neige par un si grand froid. Il examina la moufle rebondie avant d'y enfouir sa truffe. Les animaux étaient aussi tassés que possible. Mais qui voudrait discuter avec un gros ours ?

La moufle s'était étirée et distendue jusqu'à atteindre
des centaines de fois sa taille, mais le tricotage de Baba tenait bon.

Soudain apparut une souris des champs pas plus grosse
qu'une noix. Elle réussit à se glisser dans la moufle et à se faire
une place confortable sur le museau de l'ours.

L'ours, chatouillé par les moustaches de la souris, fut pris d'un énorme éternuement : Aaa-aaaa-aaaaatt-CHAOUMM !
La force de l'explosion fut telle que la moufle disparut dans les airs en soufflant les animaux dans toutes les directions.

Sur le chemin du retour, Nicki vit une forme blanche volant au loin. C'était la moufle perdue qui se détachait sur le bleu du ciel.

Comme il courait à la rencontre de sa moufle blanche,
Nicki vit Baba qui l'attendait derrière la fenêtre. Elle s'assura
d'abord que le garçon allait bien, puis elle remarqua qu'il
tenait toujours ses moufles…

Texte français de Paul de Roujoux

Publié pour la première fois en 1989 par GP Putnam's Sons, division du Putnam et Grosset Book Group, New York, sous le titre THE MITTEN. – © 1989, Jan Brett pour le texte et les illustrations.
© 1991, éditions des Deux Coqs d'Or, Paris, pour la première édition française – © 1992, Hachette / Deux Coqs d'Or.
© 1994, Hachette Livre / Gautier-Languereau. – © 2007, Hachette Livre / Gautier-Languereau pour la présente édition.
ISBN : 978-2-01-391421-5 – dépôt légal n°90092 – édition 01 – octobre 2007.
Loi n°49-956 du 16 juillet 1949 sur les publications destinées à la jeunesse.
Imprimé par Pollina en France - L43989